nickelodeon

汪汪队立大功儿童安全救援故事书

消防小英雄

美国尼克儿童频道／著
安东尼／译

天 地 出 版 社 | TIANDI PRESS

今天，毛毛正在为“最快消防狗狗”比赛积极地准备着。

“水柱，喷射！”毛毛边叫边把水管对准目标水桶直射过去。

“加油，毛毛！”汪汪队其他成员在一旁欢呼着，为毛毛加油打气。

接着，毛毛驾驶着消防车来到了一棵茂盛的大树下，准备营救猫咪莉莉。

可是云梯挂到了树枝上，毛毛重重地摔到了地上。

莱德正在塔台关注着这一切。

“看样子毛毛需要帮忙！”莱德说完，马上在平板电脑上按下了一个键。

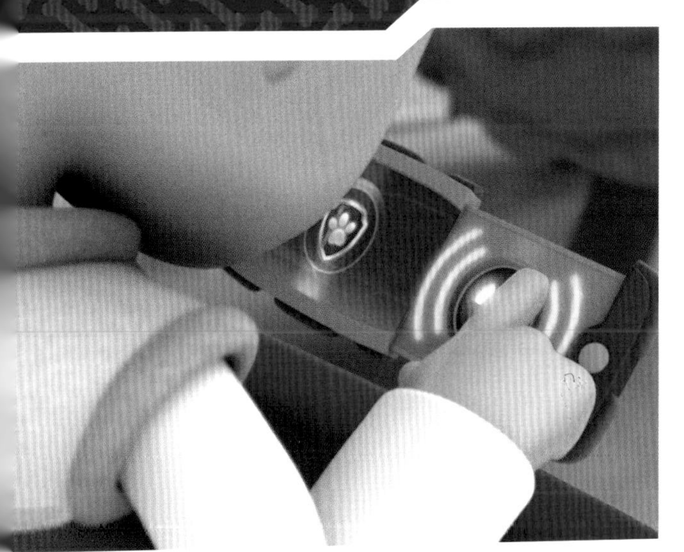

“汪汪队，马上到塔台集合！”

说着，所有队员的徽章全都闪亮了起来，大家迅速向塔台集合。

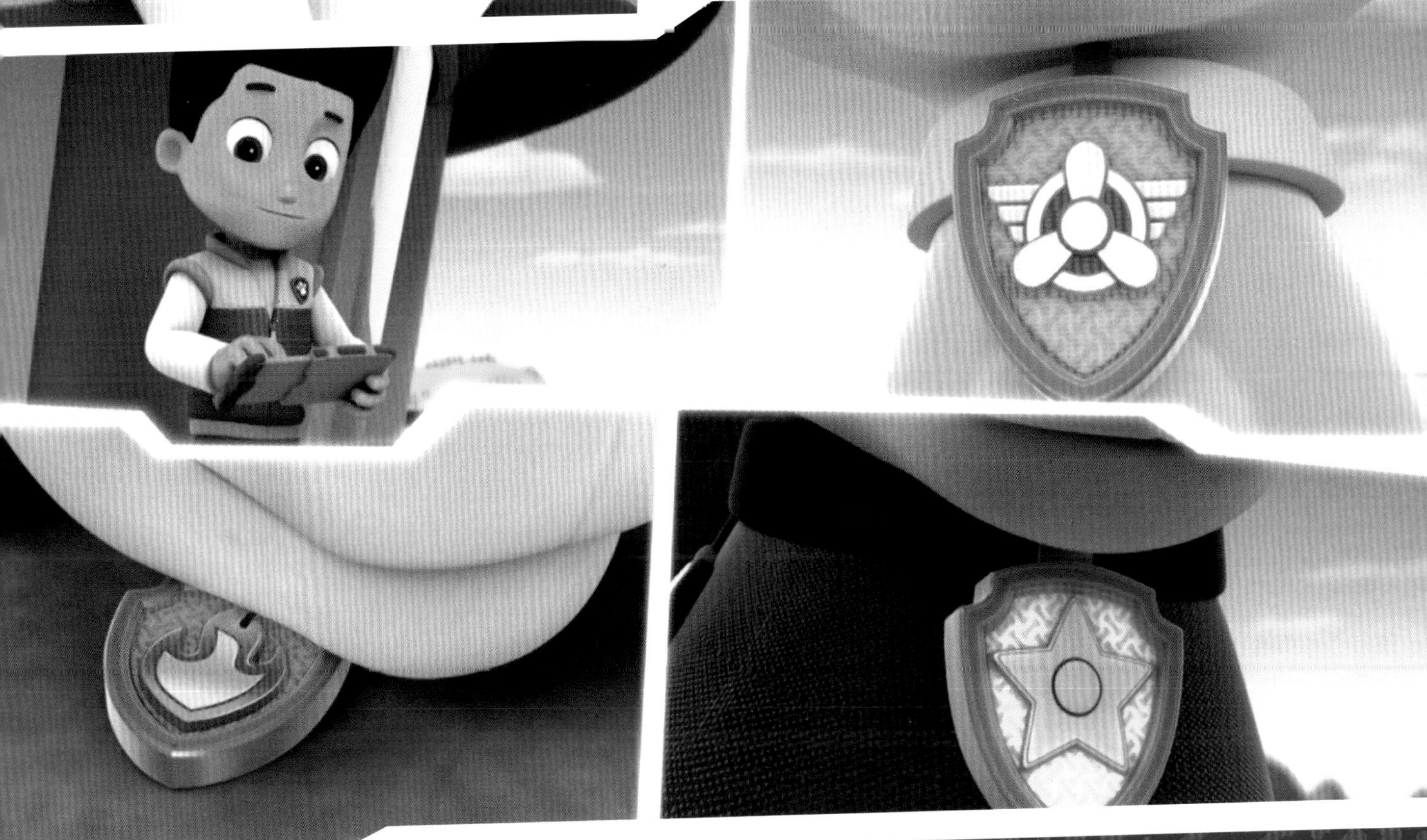

在指挥室内，所有队员都已准备就绪，等待指示。

“毛毛，我们今天会给你提供帮助，但是你必须尽自己最大的努力去做，把输赢先放到一边！”莱德说道。

“竭尽全力，忘掉输赢！”毛毛严肃地大声回答道。

“灰灰，能在你的回收库中找一些可以修复毛毛云梯的工具吗？”莱德问道。

“没问题！”灰灰答道，“旧物别丢掉，还有大用处！”

汪汪队员们在收到命令后，迅速出发了。

　　灰灰把他的卡车停在了毛毛消防车的旁边，并很快找到了一些可再利用的工具。

灰灰叫道：“这个扫帚能用得着。我能把它做成云梯的新梯级，毛毛！”

说完，灰灰就把扫帚拧成了云梯的新梯级。

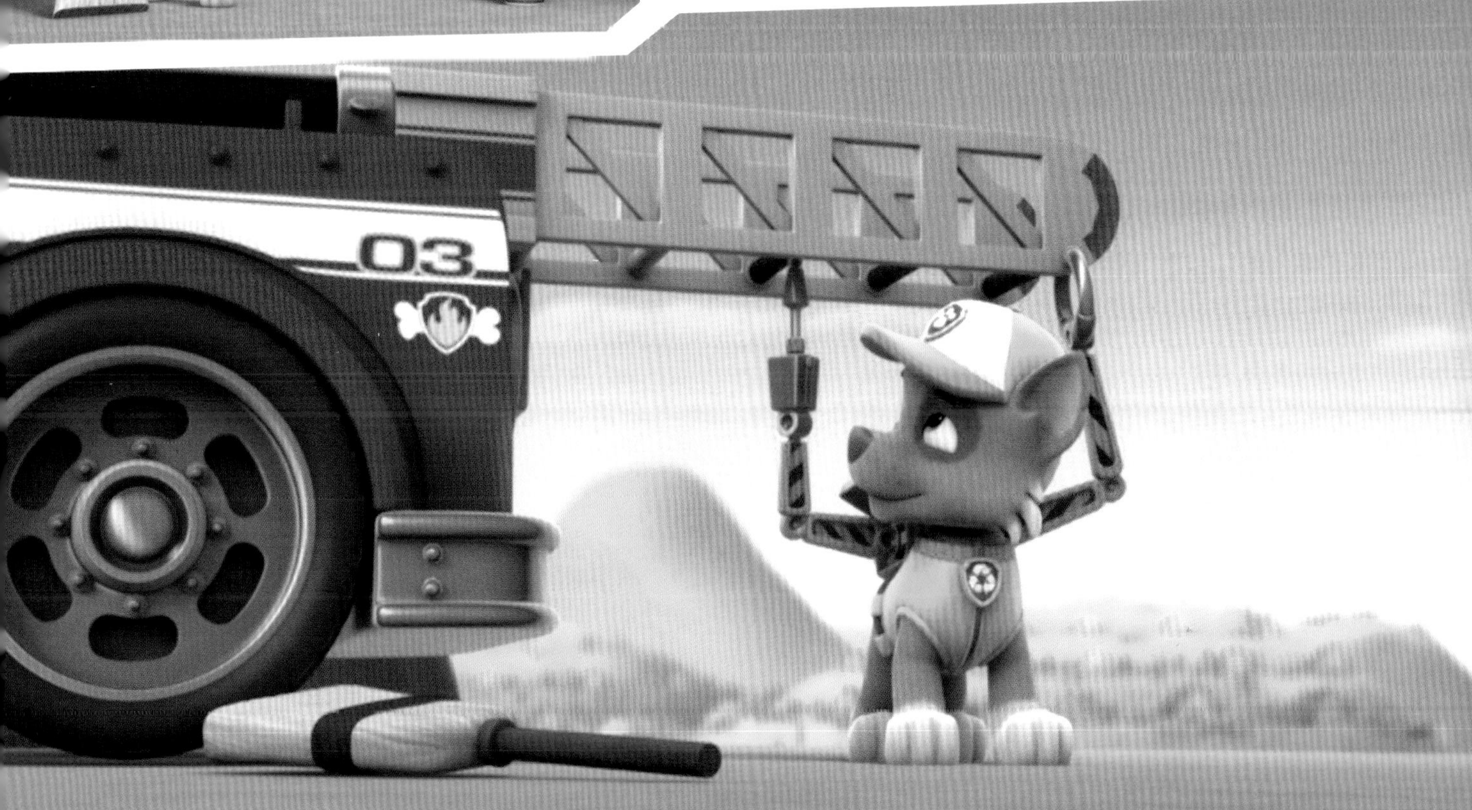

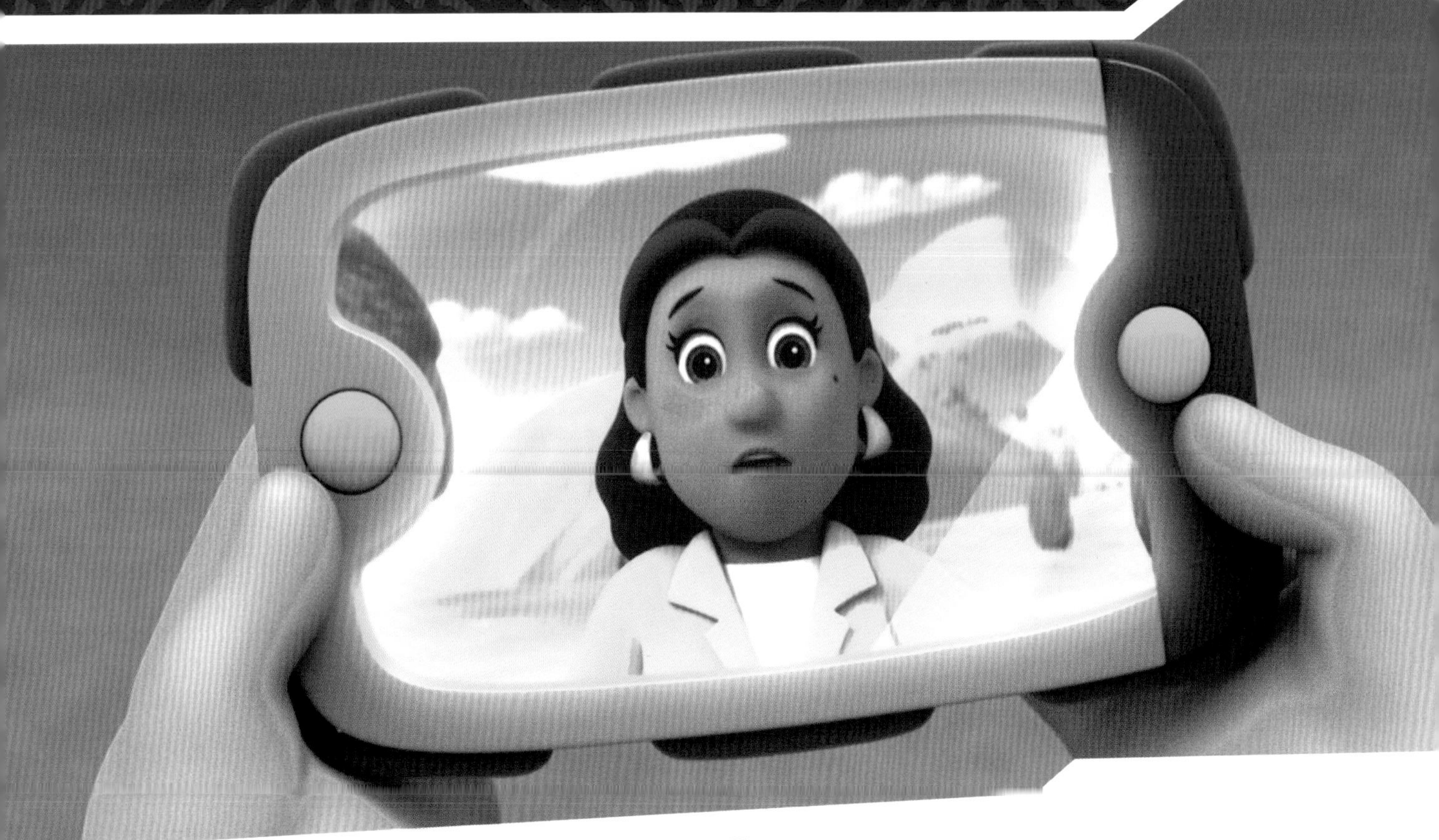

这时，莱德在平板电脑上接到了一通视频电话。

“电视台正等着录制毛毛打破‘最快消防狗狗’比赛纪录的访谈视频。可是他快迟到了！”古威市长在电话中说道。

“毛毛马上出发！”莱德回答。

汪汪队全体成员迅速准备将毛毛送到比赛出发地。

阿奇拉响警车上的警笛，然后用交通锥清理好了道路。

“我的交通锥可以阻止车辆通行，直到毛毛顺利通过！”阿奇说道。

当毛毛到达公园的时候，电视台摄制组已经等得有些不耐烦了。

“看镜头，三——二——一——”摄像师说道。

古威市长宣布：“早上好，冒险湾的市民们！今天，毛毛将参加‘最快消防狗狗’大赛，并力争打破‘营救受灾人员’环节的最短用时纪录！”

“毛毛万岁！毛毛加油！”人群中爆发出一阵欢呼声。

古威市长继续说：“如果毛毛能在十分钟内完成比赛并敲响市政厅的钟，他就将获得‘最快消防狗狗’奖杯，加油！”

毛毛此刻已经站在了比赛起跑线上。“竭尽全力，忘掉输赢！”他在心里对自己说。

一开始，毛毛顺利完成了障碍穿越环节，接下来就要用到他的新云梯了。有了新加的梯级，毛毛很快爬到了树上，并且成功地营救出玩具猫咪。

然后，毛毛迅速冲向在沙滩步道上的下一个目标。

“水柱，喷射！”毛毛大声喊道，并把手里的水管对准模拟火灾目标喷射出一股水柱。

观众们看到这一幕，都大声地欢呼起来。

“我做到了！现在，我要以最快的速度前往市政厅敲钟！”毛毛也开心地叫道。

但是，正当毛毛准备发动消防车的时候，他发现了真的火苗。

毛毛大叫：“起火啦！我必须马上灭火。水柱，喷射！”

毛毛用他的便携式灭火器迅速扑灭了火苗。

“太感谢你了，毛毛！”古威市长激动地说道。

“你只剩 30 秒的时间了，毛毛，赶紧出发！”莱德提醒道。

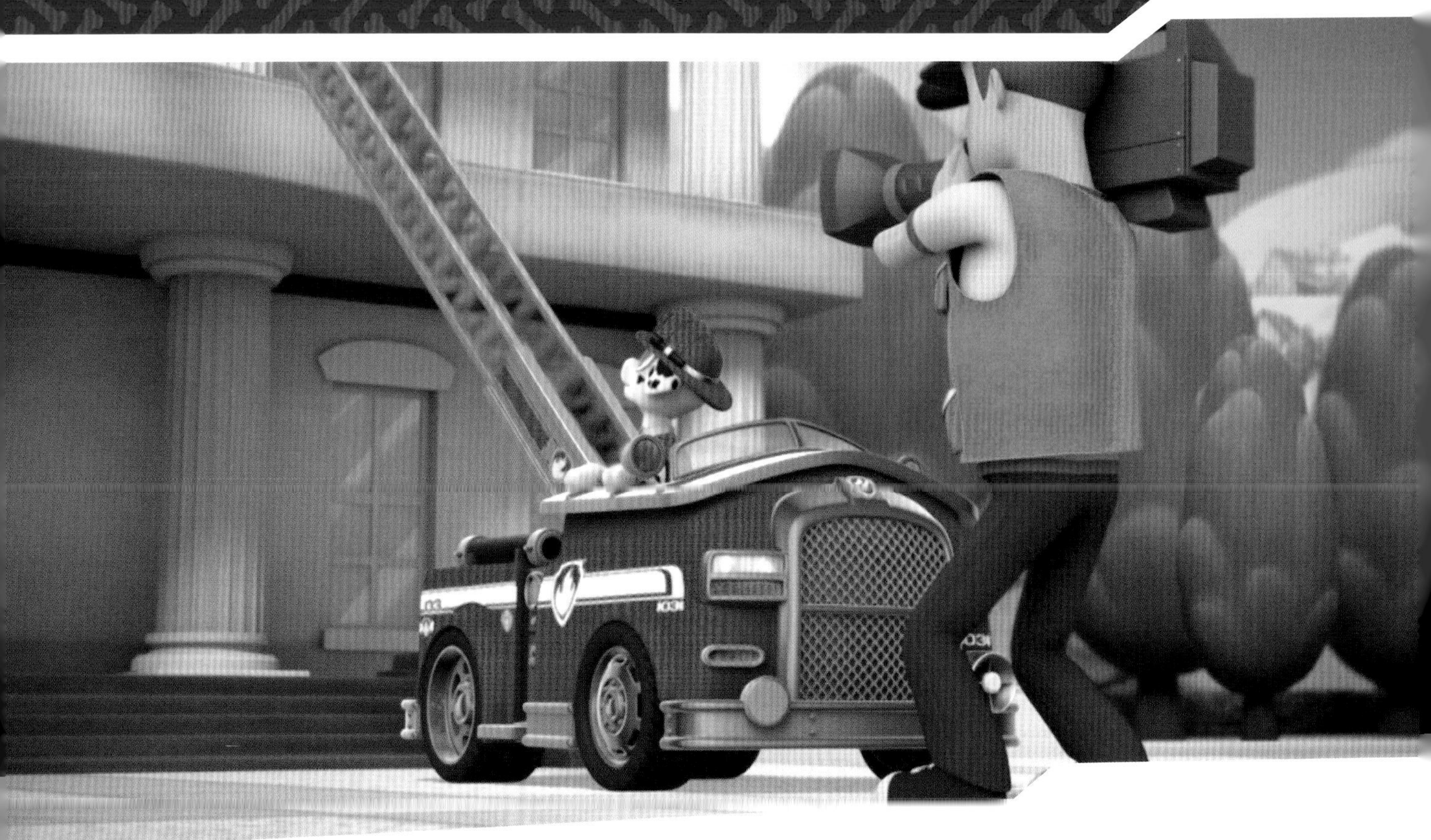

赶到市政厅，毛毛迅速架起云梯爬上钟楼，敲响了大钟。

“咚！”

但他还是晚了1分钟，没能打破纪录。

“但你扑灭了一场可能发生的真正火灾，你就是我们冒险湾的英雄！”古威市长说。

古威市长把奖杯交给了毛毛，宣布道：“给全世界最棒的英雄消防狗狗！”人群中再次爆发出热烈的欢呼声。

随后，汪汪队在塔台集合，一起观看关于毛毛的电视新闻节目。

“你做到了，毛毛！”队员们开心地叫道。

毛毛自豪地举起奖杯，说道：“竭尽全力，忘掉输赢！”

汪汪队救援行动指南

消防救援行动指南

小朋友，你还记得聪明勇敢的汪汪队今天完成了什么任务吗？他们是怎么做的呢？我们一起来看今天的行动指南吧！

发现问题

毛毛参加“最快消防狗狗”比赛遇到困难。

我有办法

修复了毛毛的云梯。

用交通锥封锁道路。

扑灭了真正的火苗。

成功啦

毛毛完成了比赛，还阻止了火灾的发生！

汪汪队功劳榜

这次行动中，狗狗们的表现都很棒，请你将狗狗与他们完成的任务用线连起来！

快乐排序

小朋友，你还记得这个故事都说了什么吗？下面就请你按故事发生的先后把正确的排列顺序填到括号里吧！

(　　)→(　　)→(　　)→(　　)

快乐迷宫

毛毛要在一座迷宫里寻找一把小匕首，你能为毛毛指出正确的寻宝路线吗?

ROCKY

CHASE

Zuma

MARSHALL

Skye

RUBBLE

© 2017 Spin Master PAW Productions Inc.
© 2017 Viacom International Inc.
All rights reserved.

© 2017 Spin Master PAW Productions Inc.
© 2017 Viacom International Inc.
All rights reserved.

© 2017 Spin Master PAW Productions Inc.
© 2017 Viacom International Inc.
All rights reserved.

© 2017 Spin Master PAW Productions Inc.
© 2017 Viacom International Inc.
All rights reserved.

© 2017 Spin Master PAW Productions Inc.
© 2017 Viacom International Inc.
All rights reserved.

快乐涂色

小朋友，快拿起你手中的画笔，为下图中的人物涂上美丽的颜色吧！

图书在版编目(CIP)数据

汪汪队立大功儿童安全救援故事书. 消防小英雄 / 美国尼克儿童频道著；安东尼译. — 成都：天地出版社, 2017.3

ISBN 978-7-5455-2368-3

Ⅰ. ①汪… Ⅱ. ①美… ②安… Ⅲ. ①儿童故事－图画故事－美国－现代 Ⅳ. ①I712.85

中国版本图书馆CIP数据核字(2016)第283534号

出品策划：文轩出品

网　　址：http://www.huaxiabooks.com

著作权登记号 图字：21-2017-04-13 号

消防小英雄

出品人	杨　政	总经销	新华文轩出版传媒股份有限公司
策划编辑	李红珍　戴迪玲	印　刷	北京瑞禾彩色印刷有限公司
责任编辑	陈文龙　夏　杰	开　本	889×1194　1/20
特邀编辑	张　剑	印　张	1.6
版权编辑	郭　淼	字　数	10 千字
装帧设计	谭启平	版　次	2017 年 3 月第 1 版
责任印制	董建臣	印　次	2017 年 6 月第 3 次印刷
出版发行	天地出版社	书　号	ISBN 978-7-5455-2368-3
	（成都市槐树街 2 号　邮政编码：610014）	定　价	12.80 元
网　址	http://www.tiandiph.com		